ときそば

江戸《えど》の昔《むかし》は、時間《じかん》のことを、
「時《とき》」といっておりまして、
時計《とけい》というものが、ありませんから、
寺《てら》で鐘《かね》をうち、その音《ね》のかずで、
町《まち》に時《とき》を、しらせておりました。
真夜中《まよなか》の十二時《じゅうにじ》が、九《ここの》つ。
二時間《にじかん》おきに、二時《にじ》が八《や》つ。四時《よじ》が七《なな》つ。
朝六時《あさろくじ》が六《む》つ、八時《はちじ》が五《いつ》つ
とへっていき、
お昼《ひる》ちかくの十時《じゅうじ》が四《よ》つ。
そしてお昼《ひる》の十二時《じゅうにじ》が、また九《ここの》つになり、
夜の十時《じゅうじ》が四《よ》つです。
「三時《さんじ》のおやつ」は、時《とき》の八《や》つのことですが、
三時《さんじ》ですから、せいかくには
八《や》つ半《はん》ということになります。

そんな江戸《えど》のころ、夜《よる》になると、
屋台《やたい》のそば屋《や》さんが町中《まちなか》を
「そばーうー、あうー」
と、売《う》り声《ごえ》をあげて
とおっておりまして、屋台《やたい》も
かつげるように、できていました。
風鈴《ふうりん》をさげていたものですから、
そば屋《や》さんがとおると、
チンリン、チンリンと、
音《おと》がしたそうで…、ですから、
「親《おや》ばかちゃんりん、そば屋《や》の風鈴《ふうりん》」
なんていうのは、
そこからきたそうです。
そば一杯《いっぱい》が十六文《じゅうろくもん》でして、
さむい日《ひ》の夜《よる》などに、
そば屋《や》の売《う》り声《ごえ》がきこえてきますと、
一杯《いっぱい》たべたくなるもので…

「おう、そば屋《や》さん。そばを
あつーくして、一杯《いっぱい》たのむ」

と、いうことになります。

「きょうは、さむいねえ」

「ほんとうに、おさむうございます」

「どうだい、そば屋《や》さん。けいきは？」

「どうも、ふけいきで、いけませんなあ」

「そうかねえ。

でも、きにすることたあないよ。

わるいあとは、
いいっていうからねえ…」

「商売《しょうばい》は、商《あきな》いっていうから、
あきずにやっていれば、
そのうちによくなるよ」

「なるほど。
うまいことを、おっしゃいますなあ」

「おやっ、この行灯《あんどん》の印《しるし》は…、
的《まと》に矢《や》が、あたってるね」

「へえ。てまえどもは、
あたり屋《や》ともうします」

「ほおー、あたり屋《や》たあ、
えんぎがいいや！」

「おまちどおさまです」

「おおっ、はやいねえ！
おれあ、江戸《えど》っ子《こ》で、きがみじけえんだ。
ちょいと、むだっ話《ばなし》をしているうちに、
おまちどおさまですたあ、
うれしいじゃあねえか。

おやっ、おまえんとこは、
わりばしをつかってるね！
こりゃあいいや。ほかの屋台《やたい》は、
丸《まる》ばしでね。だれがつかったか
わかりゃあしねえんだ」

「ほおーっ、おまえんとこの丼《どんぶり》が、
また、いいねえ！
ものは器《うつわ》でくわせろっていうが、
たいしたもんだ。

…それに、このだし汁《じる》の、いいにおい！
かつおぶしを、たくさんつかいましたね。
うれしいねえ…

…それにこの、そばのほそいこと!!
そばは、こうでなくっちゃあ
いけませんよ」
おきゃくさん、そばをひとはし
かきあげますと…

「いやーっ、このそばの
こしのつよいこと!
べたべたしたそばなんか
くえたもんじゃあねえよ」
そういって…
ズズ——ッ
ズズズズ——ッ

「このちくわ、あつくきったねえ!!
いいのかい、こんなにあつくって。
ふつうは、ちくわぶっていう、
ふをつかってんだが、ありゃあいけません。
病人《びょうにん》のくいもんだ」

このおきゃくさん、うまい、うまいと、
そば屋《や》をおだてあげ、
たべおえますと…

「あー、うまかった。ごちそうさま。

もう一杯《いっぱい》と、いきたいところなんだが
ねるまえだから、よしとくよ。

すまないねえ」

「いいえ、けっこうです」

「いくらだい？」

「十六文《じゅうろくもん》です」

「こまかいお金《かね》しかねえんだ。

ちょいと、手《て》をだしてくれ」

「へえ、じゃあこれへ」

と、手《て》をだすと、おきゃくさん、
お金《かね》をかぞえだし…

「一《ひと》つ、二《ふた》つ、三《みっ》つ、四《よっ》つ、五《いつ》つ
六《むっ》つ、七《なな》つ、八《やっ》つ、
いまなん時《どき》だい？」

「へえ、九《ここの》つで」
「十《とお》、十一《じゅういち》、十二《じゅうに》、十三《じゅうさん》、十四《じゅうし》、十五《じゅうご》、
十六《じゅうろく》。おやすみー」
ってんで、
かえっていってしまいました。

このようすを、わきで
みていた男《おとこ》がおりまして、
「よくまあ、あれだけ
しゃべりやがったねえ。
そば一杯《いっぱい》くうのに、あんなに
そば屋《や》を、おだてなくっても
いいじゃねえか。

そばは、十六文《じゅうろくもん》にきまってるのに、
いちいちねだんを、ききやがって…。
一《ひと》つ、二《ふた》つ、三《みっ》つ、四《よっ》つ、
五《いつ》つ、六《むっ》つ、七《なな》つ、八《やっ》つ、
いまなん時《どき》だいって…?
へんなところで、時《とき》をきいたねえ。
そば屋《や》は、九《ここの》つでって。そしたら、
十《とお》、十一《じゅういち》、十二《じゅうに》、十三《じゅうさん》、十四《じゅうし》、十五《じゅうご》、
十六《じゅうろく》…なんかおかしいね。いいかい、
…六《むっ》つ、七《なな》つ、八《やっ》つ、いまなん時《どき》だい。
九《ここの》つで、十《とお》、十一《じゅういち》って、なんかへんだよ。
七《なな》つ、八《やっ》つ、いまなん時《どき》だい。
九《ここの》つで、十《とお》!!　ああーっ、あのやろう。
一文《いちもん》、ごまかしやがった」
と、きがつきまして、
「うまいねえ。きょうは、もちあわせが
ないから、あした、おれもやってやろう」
ってんで、とぼけたやつもいるもんです。

酒
酒

さて、つぎの日《ひ》。
こまかいお金《かね》を
よういしまして、
夜《よる》、そば屋《や》の売《う》り声《ごえ》を、
いまかいまかと
まっていましたが、
まちきれなくなりまして、
じぶんのほうから、
そば屋《や》をさがしに
とびだしました。

「あっ、いたいた。
おーい、そば屋《や》さーん。
おーい」

「おう、そば屋《や》さん、
そばをあつーくして、
一杯《いっぱい》たのむ」

「きょうは、さむいねえ」
「いえ、きょうはあったかで」
「ん…ああ、そうだ。
きょうはあったかいや。
…きのうは、さむかったねえ」
「へえ、きのうは、
おさむうございました」
「ところで、どうだい、そば屋《や》さん。
けいきは？」
「おかげさまで、上《じょう》げいきです」
「おやっ？　そうなのかい。
ふーん、そりゃあいいや…
でも、いいあとは、
わるくなるっていうからね。
そんなときは、
あきずにやらないと、
いけませんよ…

商売《しょうばい》ってえやつは…」
「商《あきな》いってえますなあ」
「なんだい、しってんのかい。
ところで、おまえんとこの行灯《あんどん》は、
的《まと》に矢《や》が、あたって…
るんじゃあ、ないんだね」
「矢《や》が三本《さんぼん》で、
やや屋《や》と、もうします…」
「ややや、なんか、
あやしかないかい…」

「ここらへんで、
おまちどおさまってんで、
そばが、でてくる
はずなんだがなあ…」
「すみません。お湯《ゆ》が
わきますまで、
しばらくおまちを」
「ああ、そうお。
いいんだよ。
おれは、江戸《えど》っ子《こ》で、
きがながいから…
……、
……。
それにしても
おそいねえ」

「どうも、おまちどおさまです」
「よっ、きましたよ！
どうです。おまえんとこは、わりばしを
つかってるね。ほかの屋台《やたい》は、丸《まる》ばしで、
だれがつかったか、わかんないんだよ。
ほーら、おまえんとこは…

あらっ、丸《まる》ばしだ！
…いいよいいよ、このほうが、
わるてまがなくて」

「でも、はしは丸《まる》ばしでも、
おまえんとこの、丼《どんぶり》が、
また…

きっ、きたねえなあ!!
なんだいこれ、ほうぼうかけてるよ…
まあいいや、丼《どんぶり》くいにきたんじゃあ
ねえから…

…しかし、このだし汁《じる》の、いいにおい。
うれしいねえ。かつおぶしを
たくさんつかいましたねえ…」
そういって、ひとすすりしますと、

「げぷっ。なんだいこれは！
しょっぱいのを、とおりこして
にがいよ…」

「まあ、汁《しる》なんてどうでもいいんだよ。
そばがほそくって、こしがあれば……」
と、そばをひとはし、かきあげた。

「ふといねえ！
おい、うどんじゃあねえのかい。
ええっ、そばですう」
ズブズズ――ッ
「……こしもなくて、べたべただよ……」
ズブブブズ――ッ
「……おい、ちくわは、ないのかい？

はいっておりますう。
はいってるって…あっ、いた！
これかい。よくまあ、うすくきったねえ。
まあ、うすくたって、ほんものだ。
ふつうは、ちくわぶっていう、
ふをつかってるんだ。
そこへいくと、おまえんところは…

ほんものだ！
…ほおら…ほんもののふだ。
…いいんだよ。おれは
病人《びょうにん》なんだから…」

「なんですねえ、これは。
…もったいないから
たべるけど…」
ズブズズズ――ッ
ブッブッブッ

さすがに、汁《しる》はのみきれず、
まずいのを、
やっとがまんして
たべおえますと、
さて、いよいよ…

「あーっ、うまかった。
ごちそうさま。もう一杯《いっぱい》と、
いきたいところなんだが
ねるまえだから、よしとくよ。
すまないねえ」
「いいえ、けっこうです」
「いくらだい？」
「十六文《じゅうろくもん》です」
「こまかいお金《かね》しかねえんだ。
ちょいと、手《て》をだしてくれ」
「へえ、じゃあこれへ」
と、手《て》をだすと、おきゃくさん、
お金《かね》をかぞえだし…
「一《ひと》つ、二《ふた》つ、三《みっ》つ、四《よっ》つ、五《いつ》つ、
六《むっ》つ、七《なな》つ、八《やっ》つ、
いまなん時《どき》だい？」

「へえ、四《よ》つで」
「うっ、五《いつ》つ、六《むっ》つ、七《なな》つ、八《やっ》つ……」

落語絵本を作った人
川端誠さん

落語絵本シリーズ　その7「ときそば」

『ときそば』は上方の『ときうどん』を関東に移した噺で、それぞれ笑いのツボに違いがあり、聴き比べてみるとおもしろいです。

この噺、『じゅげむ』『まんじゅうこわい』『めぐろのさんま』などと並んで、たいへんポピュラーな落語ネタでありまして、早くから絵本化を考えていたのですが、なにしろ絵本にしづらいことばかり。場面はそば屋の屋台の前だけ。しかも時間は真夜中で変化なし。登場人物は四人ですが、ひと晩ふたりで、二晩ともやることはまったく同じ。こう揃うとやかんでゆでたタコ同様で、手も足もでないというやつなんであります。

特別なことを企てるよりは、真っ向勝負。全画面、落語どおりの真夜中でいくことにしました。江戸の頃の夜は、さぞ暗かったことでしょうが、絵になりませんので、行燈の明かりだけではなく、堤灯の明かりを入れました。これは実際の屋台にはなかったことだと思います。通行人を登場させたり、店じまいの様子を描くのがせいぜいできることで、人物の表情やしぐさを飽きずに（飽きましたが）描きました。

文も落語をあまりいじらず、違うところといえば、「とき」の説明をしっかりしたところでしょうか。二日目のそば屋の屋号は、噺家さんによってみな違い、小三治師匠は、矢が２本で「矢屋」と演じておりますのを、ちょいと変えて用いました。

かくして、縦のコマ割りに同じ人間がずらりと並ぶ、珍しい絵本と相成りましたが、あとは読者の皆さんの開き読みの技に、おすがりする次第なのであります。

**かわばた・まこと　1952年生まれ。シリーズごとにテーマや表現技法をかえ、多様な世界を展開している。『鳥の島』『森の木』『ぴかぴかぷつん』『お化けシリーズ』（ＢＬ出版）など多数。絵本ライブや講演を続け、また絵本解説にも定評がある。
落語絵本は、『ばけものつかい』『まんじゅうこわい』『はつてんじん』『じゅげむ』『おにのめん』『めぐろのさんま』『ときそば』（以上、クレヨンハウス）、『井戸の茶わん』『ねこのさら』『三方一両損』（以上、ロクリン社）がある。最近の作品に『ピージョのごちそう祭り』（偕成社）など。**

crayonhouse

発行日――――2008年1月　第1刷　　2024年7月30日　第14刷
発行人――――落合恵子
発行――――クレヨンハウス
東京都武蔵野市吉祥寺本町 2-15-6
TEL.0422-27-6759　FAX.0422-27-6907
e-mail　shuppan@crayonhouse.co.jp
URL　https://www.crayonhouse.co.jp/
印刷・製本――――シナノ印刷株式会社

ISBN978-4-86101-092-7　C0071　NDC913 24p 30×22cm
乱丁・落丁本は、送料小社負担にてお取り替え致します。